Julia Donaldson - Axel Scheffler

des histoires

Zébulon
le dragon

GALLIMARD JEUNESSE

Madame Dragon dirigeait une école, depuis la nuit
des temps. Elle apprenait aux petits dragons
ce qu'ils devraient savoir, plus tard.

Zébulon, le plus gros dragon, était aussi le plus passionné. Il travaillait avec acharnement pour gagner l'étoile dorée. *relentlessness*

En Première année, les dragons apprenaient à voler.
– Plus haut ! criait Madame Dragon. Plus haut,
les enfants ! Maintenant qu'on vous a montré, à vous
de vous entraîner. Et vous serez champions de vol
libre quand vous serez grands.

Zébulon fut le premier à s'entraîner.
Il s'envola sans difficulté.

Il montait, descendait,
tourbillonnait quand,
soudain…   il se cogna contre un arbre.

Une petite fille qui passait par là lui dit :
– Oh, ne pleure pas, s'il te plaît. Veux-tu que
je te mette un beau sparadrap sur le nez ?

– Excellente idée ! répondit Zébulon, consolé.
Et hop, il s'envola en zigzaguant dans le ciel
bleu avec son sparadrap étincelant.

Un an après, en Deuxième année, les dragons
apprirent à rugir.
– Plus fort ! cria Madame Dragon. Plus fort, encore
un effort ! Maintenant qu'on vous a montré,
à vous de vous entraîner. Et vous serez champions
de rugissement quand vous serez grands.

Zébulon fut le premier
à s'entraîner.

Il rugit à pleins poumons.

Il continua des heures
durant, recommença
tant de fois…

qu'il se cassa la voix.

Alors la petite fille qui passait par là lui dit :
– Quelle déveine ! Veux-tu une pastille à la menthe
pour la gorge et l'haleine ?

– Excellente idée ! répondit Zébulon, rassuré.
Et hop, il s'envola en zigzaguant dans le ciel bleu
et les vapeurs de menthe.

Un an après, en Troisième année, les dragons
apprirent à cracher du feu.
– Non! cria Madame Dragon. C'est du feu que
je veux, pas des flocons blancs! Maintenant qu'on
vous a montré, à vous de vous entraîner. Et vous
cracherez des feux de joie quand vous serez grands.

Zébulon fut le premier
à s'entraîner.

Il cracha de toutes
ses forces : victoire !

Il virevolta, fou de joie…

et le bout de son aile
s'enflamma.

Alors la petite fille qui passait par là lui dit :
– Viens ici, pauvre petit. Veux-tu un bandage pour
ton aile roussie ?

– Excellente idée ! répondit Zébulon, presque guéri.
Et hop, il s'envola en zigzaguant dans le ciel bleu,
son bandage flottant derrière lui.

Tous les dragons de Quatrième année apprenaient…
Avez-vous deviné?
– Oui! s'écria Madame Dragon. À capturer une princesse !

Maintenant qu'on vous a montré, à vous de vous
entraîner. Vous devrez en capturer des centaines
quand vous serez grands.

Zébulon fut le premier à s'entraîner.
Il essaya, batailla. Mais, non, il n'y parvint pas.
– Ce n'est vraiment pas mon fort, se lamenta-t-il.
Jamais je n'obtiendrai l'étoile dorée.

C'est alors qu'il vit la petite fille.

– Ne veux-tu pas
me capturer?
lui proposa-t-elle.
Je suis princesse Perle.

– Excellente idée !
répondit Zébulon,
enthousiasmé.
Et hop, il s'envola
en zigzaguant
dans le ciel bleu,
la princesse sur son dos.

– Ah, ah ! s'exclama Madame Dragon. Voilà notre
première princesse ! Félicitations, mon cher
Zébulon ; tu as bien mérité ton étoile dorée !

Zébulon était content et fier de lui.
Et Perle était ravie, elle aussi.

Elle prenait
la température
des dragons fatigués…

et les soignait quand
ils tombaient.

Un an après, en Cinquième année, les dragons
apprirent à se battre.

– Génial ! dit Madame Dragon. Voilà un vrai
chevalier, en chair et en os !

– Mon nom est Tagada le Grand et je suis venu
délivrer la princesse Perle. J'espère qu'il n'est pas
trop tard.

Zébulon cracha du feu et battit des ailes.
– C'est impossible ! Elle est à moi ! rugit-il.
– Certainement pas ! hurla Tagada en brandissant
sa fidèle épée.

Tous les dragons s'approchèrent pour mieux voir qui allait remporter le combat, Zébulon ou messire Tagada ?

Alors la princesse Perle se précipita en criant :
– Arrêtez ! Vous êtes fous ! Ne trouvez-vous pas
qu'il y a trop de plaies et de bosses en ce monde ?
Ne me délivrez surtout pas ! Je ne veux plus vivre
comme une princesse, ni me pavaner dans le palais
en robe à froufrous.

Je veux courir la planète, être médecin,
écouter battre les cœurs et à tous donner des soins.

– Moi aussi ! s'exclama le chevalier
en ôtant son heaume argenté.
Il me plaît fort, ton stéthoscope en tire-bouchon.
Princesse, veux-tu m'apprendre le métier ?

– Bien volontiers, mais, à deux, nous ne tiendrons
pas sur ton canasson.

Zébulon dit :
– Des médecins volants ! Quel beau métier !
J'aimerais tant travailler avec vous. Je serais votre
ambulancier et je vous transporterais partout.

– Bravo ! conclut Madame Dragon. Voilà un métier
d'avenir.
Et tous les grands dragons rugirent de plaisir.

Puis Madame Dragon s'adressa au cheval :
– J'aimerais vous proposer de rester.
Vous joueriez avec les petits et mangeriez du foin
à volonté.

– Excellente idée ! dit Zébulon.
Et hop, il s'élança en zigzaguant dans le ciel bleu,
emportant sur son dos les deux médecins volants.

Pour Poppy – J.D.
Pour Gabriel et Raphael – A.S.

Traduction de Anne Krief

ISBN : 978-2-07-065385-0
Titre original : *Zog*
Publié pour la première fois en Angleterre par Alison Green Books,
un imprint de Scholatic Children's Books, Londres.
© Julia Donaldson 2010, pour le texte
© Axel Scheffler 2010, pour les illustrations
© Gallimard Jeunesse 2010, pour la traduction française,
2013 pour la présente édition
Numéro d'édition : 252876
Loi n° 49-956 du 16 juillet 1949 sur les publications destinées à la jeunesse
Dépôt légal : mai 2013
Imprimé en France par I.M.E.
Maquette : Valentina Léporé